Orangen
Stück
€ 0,60

die Karotte

die Tüte

die Waage

An der Gemüsetheke

Tomaten
Gurken
Kartoffeln

Vor dem Kühlregal

die Milch

die Butter

der Käse

Butter
Butter
Butter
Senf
Senf
Milch 1,5%
Milch 1,5%

Beim Metzger

das Messer

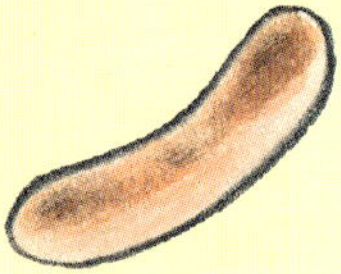

die Wurst

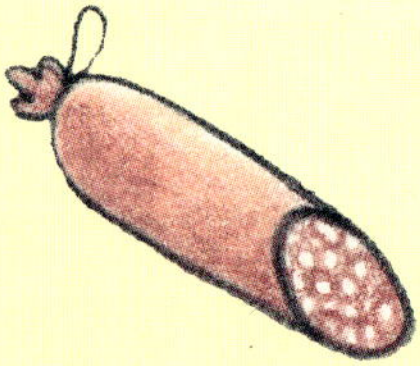

die Salami

Herr Grothe

In der Bäckerei

das Brot

der Kuchen

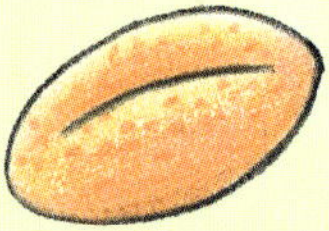

das Brötchen

Im Spielzeugladen

das Auto

das Puzzle

das Geschenk

Luftballons

Im Eiscafé

das Eis

die Waffel

der Löffel

Im Schuhgeschäft

der Schuh

der Gummistiefel

die Sandale

die Bohrmaschine

der Farbeimer

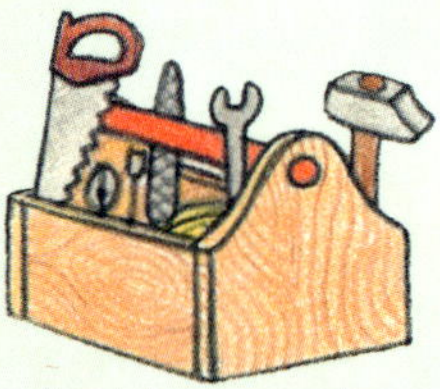

das Werkzeug

Im Baumarkt

An der Kasse

der Einkaufswagen

die Kasse

das Geld

Komm, wir suchen

Schau mal nach:
Was macht
der Junge mit
dem Apfel?

Kannst du auch so gut
an einem Eis lecken
wie der Junge?
Zeig mal deine Zunge!

Welche Schuhe ziehst
du am besten an, wenn
es draußen regnet?